PARIS
DECO
IDEAS

INTRODUCTION

パリのアーティストたちのアパルトマンを訪ねると
そこには、いつも新しい発見や出会いがありました。

この色の組みあわせ、フレッシュできれい。
こんなふうにディスプレイしたら、楽しそう。
なるほど、こうやって整理整とんしているのね。
インテリアや手づくりの小さなひらめきを散りばめた
アイデアのコラージュのような本ができたら……
そんな思いから、この本は生まれました。

もの作りにたずさわるパリのアーティストたちは
毎日の暮らしの中でも、自分たちらしく
アイデアを形にすることを、楽しんでいます。
そんなアーティストたちのワクワクが、今度は
あなたのおうちを、もっと楽しく素敵にしてくれる
インスピレーションになりますように。

ジュウ・ドゥ・ポゥム

🏠 Raya Kazoun

CONTENTS

COLOUR

6 ポップに、シックに、色とりどりのコーディネート

WALLS

22 壁面はキャンバス、絵を描くようにディスプレイ

LITTLE IDEAS

40 小さなアイデアから生まれた、デコレーション

STORAGE

54 ユニークな収納で、整理整とんを楽しもう

HANDMADE
手づくりがあれば、ちょっぴり特別な気分 …… 70

LIGHT
わたしたちをやさしく包む、明かりをデザイン …… 82

TEXTILES
テキスタイルの色や柄を、アクセントに …… 98

WINDOWS
太陽の光と風を招き入れる、気持ちのよい窓辺 …… 112

🏠 Livie Belaz et Stéphane Lebeau

COLOUR

空間を広々と見せたり、気分を変えたり、色はインテリアの大切なポイント。パリのアーティストたちの部屋では、ドキッとするような組みあわせと出会うことも。そんなカラー・コーディネートからは、なにより自由で、楽しい雰囲気を感じることができます。雑貨集めや小さなコーナーから、自分の好きな色を取り入れてみませんか？

🏠 Sarah Caniot

🏠 Chantal Manoukian

Annelise Cochet et David Valy

Julie Ansiau et Jérôme Mouscadet

🏠 Alice et Luc Charbin

🏠 matali crasset et Francis Fichot

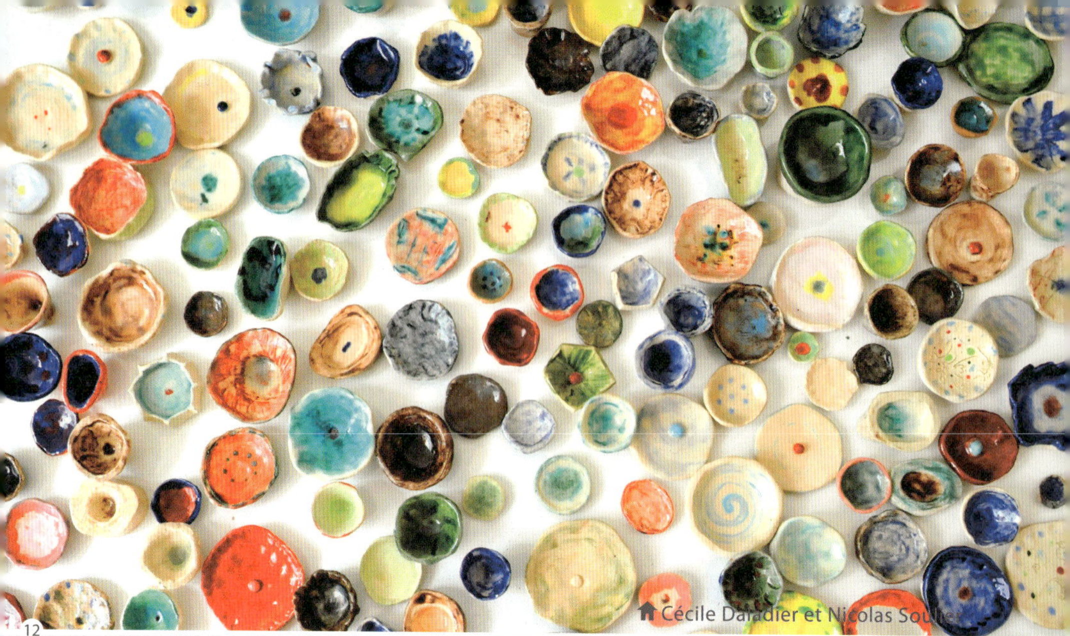

Cécile Daladier et Nicolas Soulier

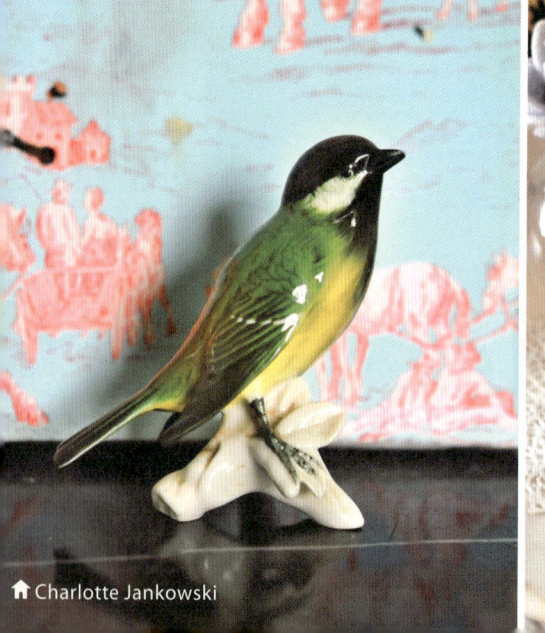

Charlotte Jankowski

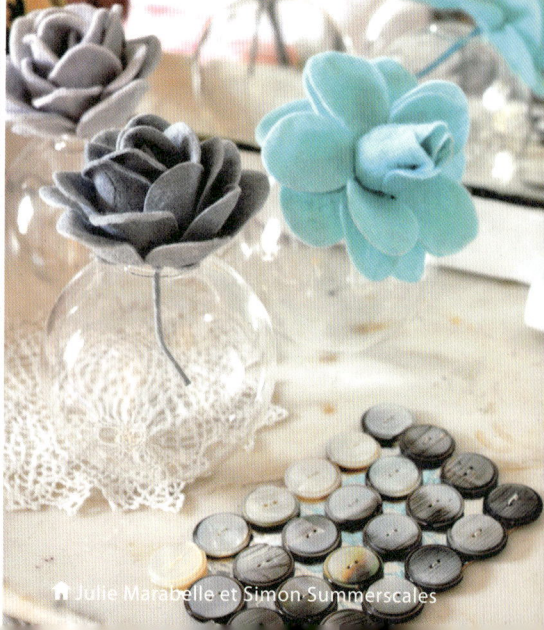

Julie Marabelle et Simon Summerscales

Isabelle Dubois-Dumée Bettan et Hubert Bettan

Nathalie Redard

Annelise Cochet David Valy

Christèle Ageorges et Hubert Delance

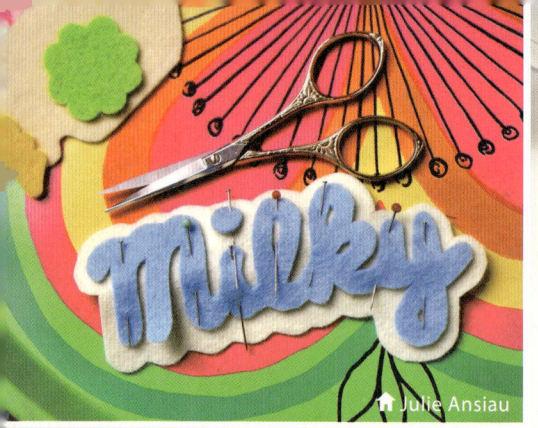
Julie Ansiau

Rym Zouai

Cheri Messerli et David Rager

Aurélie Dorard et Romuald Stivine

Patricia Rindlisbacher

Allison Grant et Mathieu Lambeaux

🏠 Cécile Daladier et Nicolas Soulier

Cécile Daladier et Nicolas Soulier

Marie Mersier

Cheri Messerli et David Rager

Sandrine Pigeon

壁面はキャンバス、絵を描くようにディスプレイ

WALLS

♠ Caroline de Tugny

WALLS

ウォール・デコレーションは、まさにアーティストたちの腕の見せどころ。壁の一か所にお気に入りを集めて、インスピレーションボードを作るのも楽しそう。コレクションしているオブジェを飾ったり、ステッカーや壁紙を使ったり、思い出の品や写真で埋め尽くしたり。壁面は自分の世界を描き出す、まっ白なキャンバスなのです。

♠ Hélène Druvert   ♠ Alexandre Soudy et Karim Laroui

Allison Grant et Mathieu Lambeaux

Lisa Gachet

Clarisse Demory

Vanina Escoubet

Myriam de Loor et Pan Gang

🏠 Elise Fouin

🏠 Leslie David

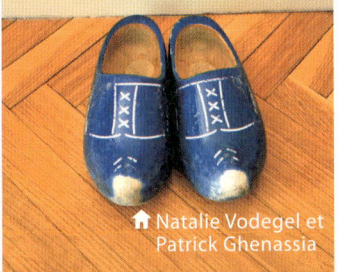
🏠 Natalie Vodegel et Patrick Ghenassia

🏠 Séverine Juillon-Penon

Violette Van Parys

DebOut les PApi
Livie Belaz et Stéphane Lebeau

Marie Montaud et Gilles Ballard

Lisa Gachet

Yong et Henrik Andersson

🏠 Charlotte Gastaut et Eric Nu...  🏠 Charlotte Sunden-Barbotin et Marc Barbotin

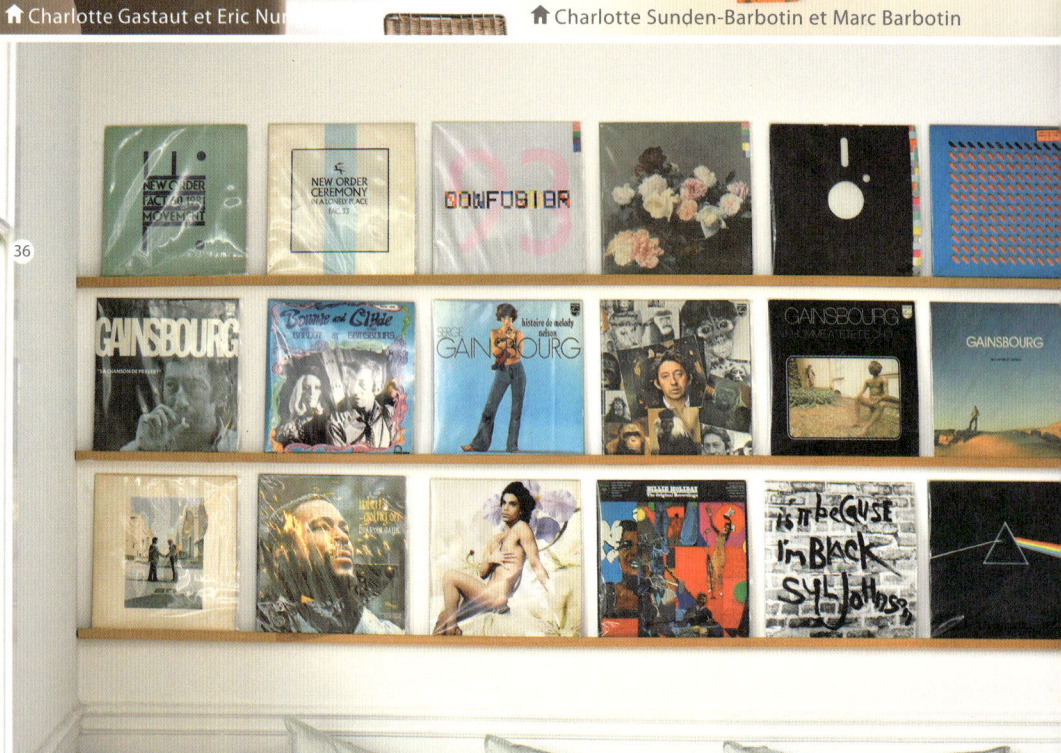

🏠 Charlotte Jankowski

37

Caroline de Tugny

MÉFIEZ-VOUS DES RÊVES...
Ils finissent toujours par se réaliser

Dorothée Beucher

🏠 Alexandra Balzé

39

🏠 Caroline et Julien Magre

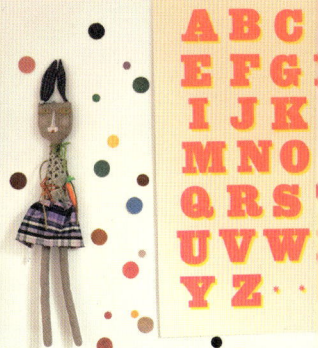

🏠 Julie Marabelle & Simon Summerscales

🏠 Hélène Druvert

40

 Myriam de Loor et Pan Gang

小さなアイデアから生まれた、デコレーション
LITTLE IDEAS

LITTLE IDEAS

旅先で見つけたキッチュなオブジェをまとめたケース、キッチンにまぎれこませた白ねずみのフィギュア、階段にカラフルに並べた子どもの靴。なんとなく気になるものや、アイデアのかけらを集めていくうちに、素敵なインテリアは生まれます。ちょっとしたひらめきやユーモアを取り入れて、部屋づくりを楽しみましょう。

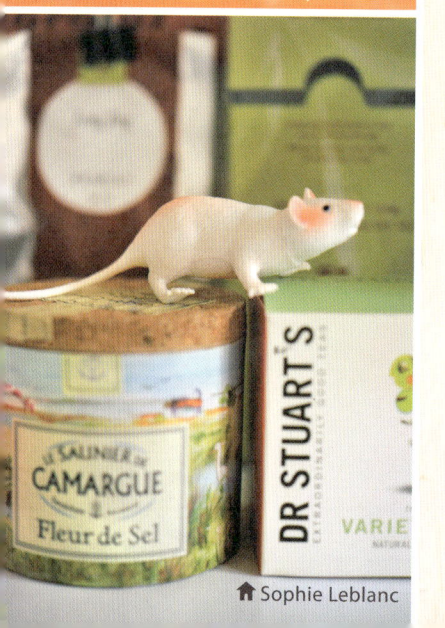

🏠 Marina Vandel

🏠 Marielle Dhuicque-Hénon

🏠 Sophie Leblanc

🏠 Charlotte Gastaut et Eric Nung

43

🏠 Clémence Gouache

44

🏠 Livie Belaz et Stéphane Lebeau

Gaëlle Bona et Alexis Place

Annabelle Brietzke et Yves-Marie Pinel

Zoé de Las Cases

amour

Mademoiselle Camille

🏠 Marie Montaud et Gilles Ballard

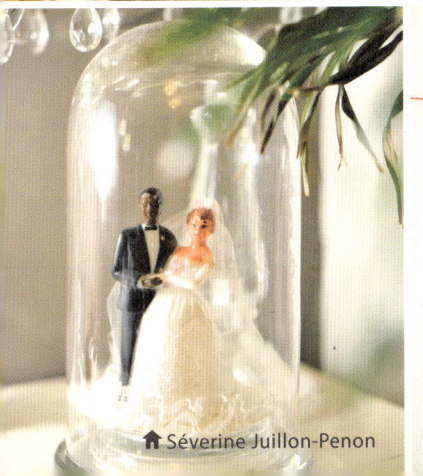

🏠 Séverine Juillon-Penon

🏠 Sandrine Pigeon

🏠 Charlotte Sunden-Barbotin et Marc Barbotin

🏠 Radka Leitmeritz et René Hallen

🏠 Charlotte Hunden-Barbotin et Marc Barbotin

🏠 Valéry-Rose Pfeifer

Else Puyo et Oliver Jourdanet

Christelle Gabillard

Annabelle d'Huart
Des bijoux de mer et de porcelaine

L'artiste Annabelle d'Huart vient de signer une première collection de bijoux-sculptures pour la Manufacture de Sèvres. Un éblouissement blanc et or.

Mademoiselle Camille

Esther Loonen et Julien Rivet

🏠 Frédérique et Hugues Reboul

🏠 Violette Van Parys

🏠 Raya Kazoun

Caroline de Tugny

ユニークな収納で、整理整とんを楽しもう
STORAGE

Cécile Daladier et Nicolas Soulier

STORAGE

ちょっぴりお片づけは苦手なわたしでも、インテリアとして楽しむことができたら……。そんなふうに感じさせてくれるユニークな収納が、アーティストたちの部屋にはたくさん。よく使う道具はすぐに取り出せるように、お気に入りはいつも目に入るように。収納は、洋服や雑貨たちに「家」を作ってあげることなのかもしれません。

🏠 Yong et Henrik Andersson

🏠 Hélène Druvert

🏠 Hélène Druvert

Myriam de Loor et Pan Gang

Sarah Caniot

Alexandrine Soudry et Karim Laroui

Aurélia Paoli

Hélène Druvert

Alexandrine Soudry et Karim Laroui

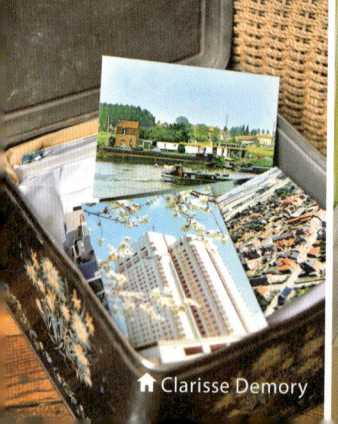

Clarisse Demory

Violette Van Parys

🏠 Isabelle Dubois-Dumée Bettan et Hubert Bettan

🏠 Julie Ansiau et Jérôme Mouscadet

🏠 Else Puyo et Oliver Jourdanet

62

🏠 Pauline Ricard-André

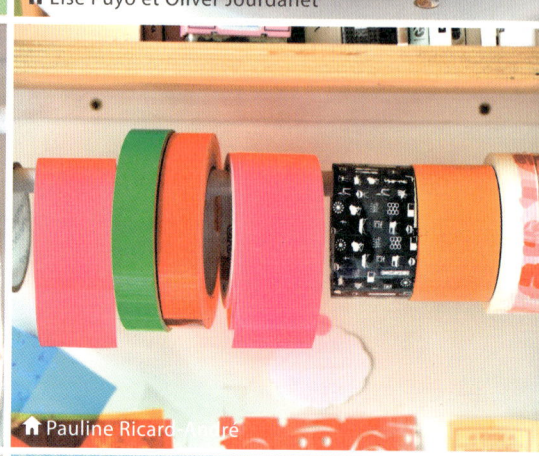

🏠 Pauline Ricard-André

🏠 Marina Vandel

🏠 Nathalie Redard

Gaëlle Bona et Alexis Place

LITTLE MARC JACOBS

64

🏠 Radka Leitmeritz et René Hallen

🏠 Séverine Juillon-Penon

🏠 Violette Van Parys

🏠 Christelle Gabillard

65

66

🏠 Pauline Ricard-André

🏠 Clémence Gouache   🏠 Noriko Shiojiri et Durgué Laigret

67

Yong et Henrik Andersson

🏠 Charlotte Jankowski

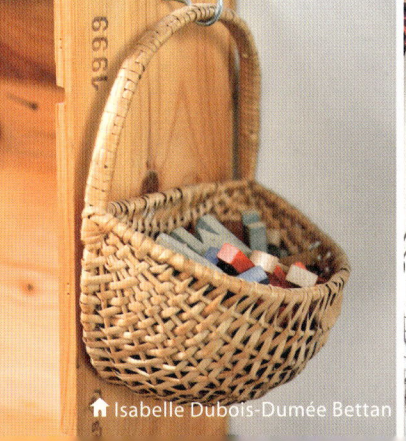

🏠 Isabelle Dubois-Dumée Bettan et Hubert Bettan

🏠 Sylvia Toth

手づくりがあれば、ちょっぴり特別な気分

HANDMADE

⑦

Lili Scratchy

71

HANDMADE

フランス語では「ブリコラージュ」といって、もともと身近にある材料をうまく工夫して、欲しいものを作り出すという意味のことばがあります。パリの人たちは、そんな発想から生まれるハンドメイド、そしてリメイクやカスタマイズが大好き。アーティストたちも作品だけでなく、暮らしの中のもの作りを楽しんでいます。

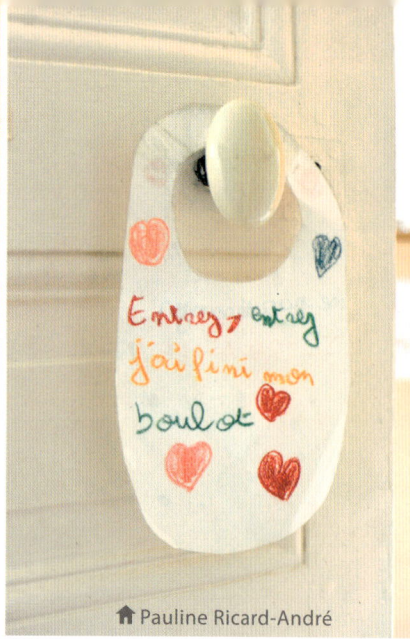

Pauline Ricard-André

Sylvia Toth

Gaëlle Bona

73

🏠 Gaëlle Bona

- Marina Vandel
- Pauline Ricard-André 
- Lili Scratchy 
- Hélène et Christophe Boulze 
- Séverine Juillon-Penon 
- Lisa Gachet

75

Julie Marabelle et Simon Summerscales

🏠 Hélène et Christophe Boulze

🏠 Charlotte Jankowski

🏠 Sophie Deiss et Jean-Christophe Saurel

🏠 Sandrine Pigeon

🏠 Sylvia Toth

🏠 Cheri Messerli et David Rager

🏠 Nathalie Redard

78

Else Puyo

Un Sac De Mots

Raya Kazoun

🏠 Livie Belaz et Stéphane Lebeau

🏠 Auriane Grosperrin

🏠 Mélody Champagne

🏠 Julie Marabelle et Simon Summerscales

81

Isabelle Dubois-Dumée Bettan et Hubert Bettan

わたしたちをやさしく包む、明かりをデザイン

LIGHT

Christèle Ageorges et Hubert Delance

83

LIGHT

アーティストたちの部屋では、そのままでも電気をつけてもアートのように美しい、さまざまなタイプの照明を見つけることができました。空間全体を照らしてくれる大きなライトだけでなく、キャンドルや間接照明のやさしい光を取り入れて。やわらかな明かりがともる空間で、こころがほっとするひとときを過ごしましょう。

🏠 Annelise Cochet et David Valy

🏠 Anne Hubert

🏠 Allison Grant et Mathieu Lambeaux

Clémence et Didier Krzentowski

86

🏠 Allison Grant et Mathieu Lambeaux

🏠 Dorothée Beucher

🏠 Myriam de Loor et Pan Gang

PAN

Yong et Henrik Andersson

Helena et Bruno Amourdedieu

Isabelle Dubois-Dumée Bettan et Hubert Bettan

🏠 Clarisse Demory

🏠 Charlotte Gastaut et Eric Nung

🏠 Caroline et Julien Magre

🏠 Séverine Juillon-Penon

Sarah Caniot

93

🏠 Noriko Shiojiri et Durgué Laigret

🏠 Agnès Cambus et Manuel Bonnemazou

🏠 Annabelle Brietzke et Yves-Marie Pinel

🏠 Pauline Ricard-André

🏠 Marielle Dhuicque-Hénon

🏠 Charlotte Gastaut et Eric Nung

95

🏠 Leslie David

🏠 Alexandrine Soudry et Karim Laroui

🏠 Yong et Henrik Andersson

Rebecka Oftedal

🏠 Noriko Shiojiri et Durgué Laigret

🏠 Julie Ansiau et Jérôme Mouscadet

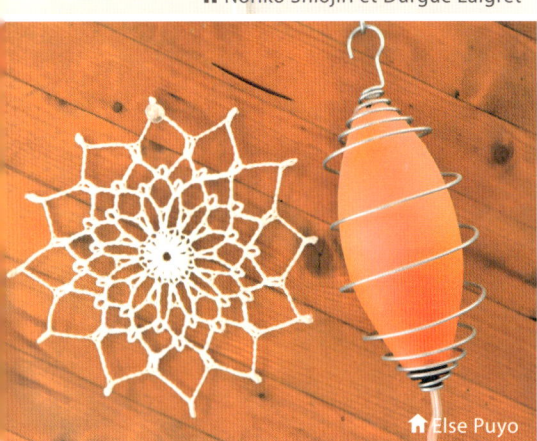

🏠 Else Puyo

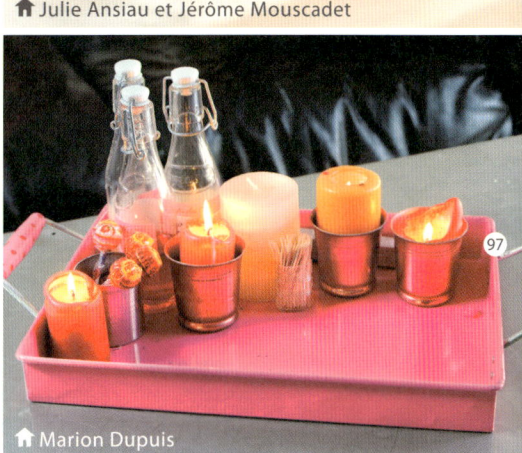

🏠 Marion Dupuis

🏠 Hélène et Christophe Boulze

🏠 Marielle Dhuicque-Hénon

テキスタイルの色や柄を、アクセントに

TEXTILES

Charlotte Sunden-Barbotin et Marc Barbotin

🏠 Charlotte Gastaut et Eric Nuag

TEXTILES
カーテンやクッションにカバーリング、部屋の雰囲気づくりに欠かせないのがテキスタイル。のみの市や旅先での掘り出し物に、デザイナーの作品、自分で染めたり刺しゅうをほどこしたりした手づくりの品など、そのバリエーションを眺めているだけでも楽しい！色や柄をミックスして、コーディネートで遊びましょう。

🏠 Julie Ansiau et Jérôme Mouscadet

🏠 Allison Grant et Mathieu Lambeaux

101

Myriam de Loor et Pan Gang

Stéphanie de Saint-Simon

Julie Ansiau

Elise Fouin

Patricia Rindlisbacher

104

Alice et Luc Charbin

Livie Belaz et Stéphane Lebeau

106

Noriko Shiojiri et Durgué Laigret

Cheri Messerli et David Rager

Elise Fouin

107

Julie Marabelle et Simon Summerscales

108

Lisa Gachet

109

🏠 Sarah Caniot

🏠 Sandrine Pigeon

🏠 Caroline et Julien Magre

🏠 Cécile Daladier et Nicolas Soulier

🏠 Elsa Puyo

🏠 Gaëlle Bona et Alexis Place

110

🏠 Mademoiselle Camille

🏠 Marion Dupuis

🏠 Noriko Shiojiri et Gurgué Laigret

🏠 Lisa Gachet

Charlotte Gastaut et Eric Nung

太陽の光と風を招き入れる、気持ちのよい窓辺

WINDOWS

Annabelle Brietzke et Yves-Marie Pinel

↑ Frédérique et Hugues Reboul

WINDOWS

白い木のフレームにアールデコ・スタイルの手すりなど、パリでは窓自体のデザインも素敵。そんなあこがれの気持ちで見上げていた窓辺を、アーティストたちはアトリエ・コーナーやミニ・ガーデンにしたり、風や光を感じるオブジェで飾ったりしています。ときにはパリの屋根を自由に行き来する、猫たちの玄関になることも……。

↑ Caroline Flé-Jacquet et Arnaud Jacquet

↑ Myriam de Loor et Pan Gang

Cheri Messerli et David Rager

Hélène et Christophe Boulze

🏠 Sylvia Toth  🏠 Roxane Lagache

117

🏠 Violette Van Parys  🏠 Line Fontana et David Fagart

🏠 Stéphanie de Saint-Simon

🏠 Chantal Manoukian

118

🏠 Violette Van Parys

🏠 Sylvia Toth

🏠 Christèle Ageorges et Hubert Delance

↑ Allison Grant et Mathieu Lambeaux

Séverine Juillon-Penon

Cécile Daladier et Nicolas Soulier

🏠 Elise Fouin

123

🏠 Clémence Gouache   🏠 Caroline Flé-Jacquet et Arnaud Jacquet

🏠 Christelle Gabillard

Sarah Caniot

toute l'équipe du livre

édition PAUMES

Photographe : Hisashi Tokuyoshi

Design : Kei Yamazaki, Megumi Mori

Illustrations : Kei Yamazaki

Textes : Coco Tashima

Coordination : Charlotte Sunden-Barbotin, Lisa Sicignano, Marie Mersier,
Pauline Ricard-André, Yong Andersson

Helena Amourdedieu

Conseillère de la rédaction : Fumie Shimoji

Éditeur : Coco Tashima

Sales Manager : Rie Sakai

Art direction : Hisashi Tokuyoshi

Contact : info@paumes.com   www.paumes.com

Impression : Makoto Printing System

Distribution : Shufunotomosha

Nous tenons à remercier tous les artistes qui ont collaboré à ce livre.

édition PAUMES　ジュウ・ドゥ・ポゥム

ジュウ・ドゥ・ポゥムは、フランスをはじめ海外のアーティストたちの日本での活動をプロデュースするエージェントとしてスタートしました。
魅力的なアーティストたちのことを、より広く知ってもらいたいという思いから、クリエーションシリーズ、ガイドシリーズといった数多くの書籍を手がけています。近著には「パリでおいしいお茶時間」「北欧ストックホルムの雑貨屋さん」などがあります。ジュウ・ドゥ・ポゥムの詳しい情報は、www.paumes.comをご覧ください。

また、アーティストの作品に直接触れてもらうスペースとして生まれた「ギャラリー・ドゥー・ディマンシュ」は、インテリア雑貨や絵本、アクセサリーなど、アーティストの作品をセレクトしたギャラリーショップ。ギャラリースペースで行われる展示会も、さまざまなアーティストとの出会いの場として好評です。ショップの情報は、www.2dimanche.comをご覧ください。